Petit FÉLIX

À mes deux trésors,
Angélique et Caroline

Pour ses activités d'édition, Bouton d'or Acadie reconnaît l'aide financière de la Direction des arts du Nouveau-Brunswick, du Conseil des Arts du Canada, du ministère du Patrimoine canadien par l'entremise du Programme d'aide au développement de l'industrie de l'édition (PADIÉ) et du Partenariat interministériel avec les communautés de langues officielles (PICLO).

Texte et illustrations : Paul Roux
Mise en pages : Lisa Lévesque et Paul Roux

Petit Félix : ISBN 978-2-923518-32-9
Imprimeur : Transcontinental Impression
Distributeurs : Prologue et Distribution du Nouveau Monde
Dépôt légal : 4e trimestre 2008
Bibliothèque nationale du Canada
Bibliothèque nationale du Québec

204 - 236, rue Saint-Georges
Moncton (N.-B.), E1C 1W1, Canada

Téléphone : (506) 382-1367
Télécopieur : (506) 854-7577
Courriel : boutondoracadie@nb.aibn.com

Imprimé au Canada

PETITS RÉCITS DE GRANDS BOULEVERSEMENTS

Petit FÉLIX

TEXTE ET ILLUSTRATIONS

PAUL ROUX

Petit Félix
est perdu.

Il se sent
différent
des autres.
C'est un étranger.

Le pays d'où
il vient était
beaucoup plus
chaud et
ensoleillé.

Tout y était
différent...
Les arbres
Les rues
Les autos
La mer
Les gens

C'était
chez lui...
DÉPARTS
Portes 9 à 15
jusqu'à ce
que ses parents
décident de
partir pour
ce lointain
pays...
à la
recherche
d'un avenir
meilleur pour
leurs enfants.

Depuis, Petit Félix se demande souvent...
C'EST QUOI AU JUSTE « UN AVENIR MEILLEUR »?

Accumuler des tas de richesses...
DÉFENSE D'ENTRER
PROPRIÉTÉ PRIVÉE
ou être heureux dans un endroit où on se sent bien ?

C'est sûr,
nous avons
maintenant
une belle
maison plutôt
qu'un tout
petit
appartement
...
ALLEZ, TIRE !
un grand
jardin
fleuri avec
des arbres
plutôt
qu'un terrain
de jeu
poussiéreux
...

et une grosse voiture rutilante plutôt qu'un vieux tacot rouillé.
GRAND-PAPA, CHANTE AVEC NOUS !
LALALA LALA
TPT
C'est sûr, notre vie s'est améliorée.
Pourtant...
JEU
ÉRIX

~~Petit~~ Félix a aujourd'hui 15 ans et il ne se sent toujours pas chez lui dans ce grand pays de neige.

Mais le plus difficile, c'est que, dans sa mémoire, les souvenirs de son pays natal deviennent de plus en plus lointains et imprécis.
Les images deviennent floues...
et les visages s'estompent.
Comme si le temps tentait de lui voler un trésor.
Son passé.
Ses origines.

Félix est
désemparé.
À quel
monde
appartient-il ?
Il ne
sait plus
qui il est.
À l'ancien
ou au nouveau ?
Est-il hier
ou aujourd'hui ?

Il se sent déraciné.

Il a la terrible
sensation qu'il sera
à tout jamais un
étranger partout
où il ira.

Félix se sent
tellement
mal...
qu'il a parfois
envie de
disparaître.
De s'envoler
vers une autre
galaxie...
comme
par magie.

Heureusement
qu'Océane est
arrivée dans
sa vie.

Trop occupé à se
morfondre et à
se poser des questions,
Félix ne l'avait
pas remarquée.
Pourtant,
la jeune
fille
n'avait
d'yeux
que pour
lui.

Subitement libéré,
Félix se mit à parler

parler

parler

parler

parler

parler

JE TE COMPRENDS MIEUX QUE TU PENSES.

Je suis née à 200 km au nord, dans une région de forêts et de lacs.

MOI AUSSI, JE ME SENS ÉTRANGÈRE.

TU SAIS...
ON N'EST PAS LES SEULS.

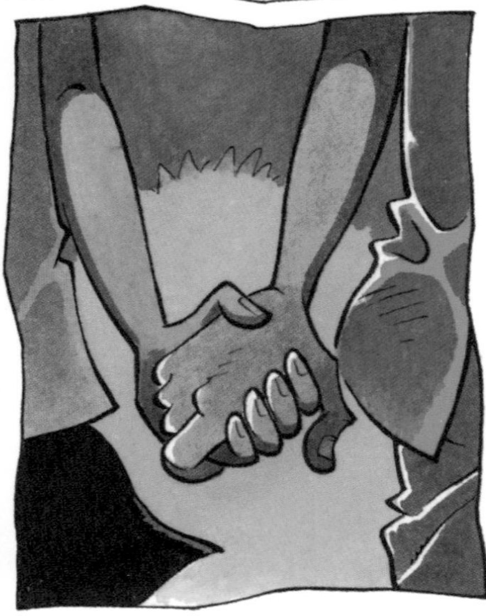

De son geste tendre
et de son regard doux,
Océane l'a submergé d'amour.
Dès
cet
instant
...

Félix sut
qu'il avait
enfin trouvé
sa place.

PAUL
ROUX
2008